ROBERT DOISNEAU

pour LARA.
Souvenir
de Paris.

Robert Doisneau

Entretien de Robert Doisneau
avec Sylvain Roumette

Cet ouvrage est publié par
le Centre National de la Photographie avec
le concours du Ministère de la Culture
et de l'A.D.P.F. agissant pour le compte du
Ministère des Relations Extérieures.

Légende de la couverture :
Les enfants de la place Hébert, 1957

Imprimé en France / Printed in France.

ROBERT DOISNEAU
ENTRETIEN
AVEC SYLVAIN ROUMETTE

*Si tu fais des images, ne parle pas,
n'écris pas, ne t'analyse pas, ne réponds
à aucune question.* Robert Doisneau

● *Vous avez commencé par la gravure, comme l'histoire de la photo elle-même, avec les premières épreuves de Niepce. Vous êtes reparti de zéro, en somme.*

Oui, j'ai fait l'école Estienne, puis j'ai travaillé quelque temps comme lithograveur dans un atelier du Marais, il y avait là de véritables acrobates de l'échoppe, des types qui travaillaient une demi-journée et le reste du temps allaient aux courses, ils faisaient des faire-part de mariage en anglaise, c'était prodigieux de voir comment ils faisaient les déliés, sans calque, sans rien, ils dessinaient au crayon à l'envers directement sur la pierre.

● *La photo aussi ça se faisait à l'envers ?*

Oui, dans "Noblesse oblige" il y a cette merveilleuse définition du photographe, qui est quelqu'un qui peut n'avoir qu'une intelligence très moyenne mais qui doit avoir la faculté de regarder les images à l'envers, je trouve ça formidable !

● *En tout cas la gravure a développé chez vous le goût de l'inscription, vos premières photos ont été des essais de rendu de matières, un mur, une colonne de réverbère, une lanterne de chantier.*

C'est vrai, mais il faut aussi faire la part de l'influence de Vigneau, chez qui j'ai travaillé pendant deux ou trois ans et pour qui j'étais ébloui d'admiration. Je l'avais connu vers 1930 ou 31, un peu avant la parution de l'album de Peignot. C'était un type qui avait une place à part, parce qu'il avait des théories étonnantes, il disait qu'un clavier de machine à écrire c'est tellement beau que toutes les lettres d'amour devraient être écrites à la machine. A l'origine il était sculpteur, et très habile sculpteur, mais pour lui la sculpture à notre époque ne pouvait servir qu'à faire des mannequins pour les vitrines des magasins. Alors il faisait des mannequins. Quand il n'y avait plus d'argent à l'atelier il me faisait monter de la terre glaise et le lendemain matin il y avait une bonne femme, très bien faite, dans le style 1925 si vous voulez, avec une petite poitrine très haute, les hanches étroites, des épaules larges et des cuisses très longues. C'était très joli, il y a un mouleur qui venait, on avait un peu d'argent et on continuait. Il avait une curieuse hygiène de vie, il se levait très tard et commençait à travailler à 6 heures du soir, pour lui ; il a écrit une histoire de l'Art de Niepce à nos jours, un titre comme ça. Il préconisait l'imitation de la nature, et pour moi tout était très simple : il fallait prendre une sorte de moulage des choses qui passent. Alors pas de confusion ; il suffisait d'avoir une précision optique très fine, des dosages chimiques exacts, et puis le sens de la lumière. A partir de là, de cette théorie de maître compagnon, on devait avoir des images qui tranchaient contre l'espèce d'attitude soumise des photographes de l'époque, qui voulaient être admis dans le monde des beaux-arts et faisaient un tas de gesticulations pour faire croire qu'ils faisaient du pastel ou de la gravure.

● *A partir de quand avez-vous trouvé, pour votre propre compte, la bonne distance par rapport aux objets ? Parce que les photos dont vous parlez, elles ressemblent à celles de la "nouvelle objectivité", elles ne ressemblent pas aux vôtres.*

Non, bien sûr, n'oubliez pas que je n'étais que le grouillot, je chargeais les châssis, j'appuyais sur le déclencheur, c'est tout. Vigneau avait un sens de la lumière très sûr, comme un sculpteur peut l'avoir, parce qu'il sait comment fonctionnent les volumes, et ses éclairages ne bougent pas. Ses éclairages étaient parfois célestes, je veux dire que ce n'étaient pas de petits éclairages avec des touches de lumière gadgets, c'était quelque chose de très ample, il m'a montré qu'il faut toujours mettre les lampes très loin. Et quand on ne pouvait pas photographier dans l'atelier, parce que l'objet ou le matériau s'y prêtait mal, alors on sortait et on travaillait à la lumière du jour, il y avait ce fantastique velum du ciel, et ça allait très bien. En dehors de ça, il me donnait des livres de sensitométrie, lui-même n'était pas très scientifique mais il croyait beaucoup à la technique, il aurait voulu qu'on se serve d'appareils de sensitométrie. Je n'y comprenais rien, je ne savais pas m'en servir, enfin j'emportais ces livres au restaurant ou j'essayais de les lire chez moi. A l'atelier je continuais mon travail, il ne fallait pas faire de flou, c'était vraiment de la photo-photo, et en même temps il y avait une idée qui me grouillait dans le ventre et qui était l'idée de jouer avec l'appareil photo. D'oser sortir avec un appareil qui ne m'appartenait pas, et qui était quelque chose de fragile, dans un endroit rugueux comme la rue, au contact des gens. Je n'osais pas photographier les gens, mes premières photos étaient des photos de pavés, et pourtant j'avais le sentiment de voir très bien les gens. Alors je me suis lancé, à l'époque le public ne vous rejetait pas, il n'y avait pas d'agressivité comme aujourd'hui où il y a une saturation de photo et où les gens en ont marre. En plus j'avais vraiment l'air d'un enfant, on ne me demandait rien, j'étais là avec ma chambre en bois puis plus tard avec mon Rollei. Naturellement ces images personne n'en voulait, ça amusait Vigneau quand même de me voir faire ça, lui qui se levait toujours très tard, il me disait que les abattoirs de la Villette à l'aube c'était un endroit merveilleux, il ne les avait jamais vus, bien sûr, il rêvait, mais moi j'essayais de faire ce genre de choses.

● *La bonne distance, vous l'avez donc trouvée quand vous êtes sorti dans la rue ?*

Ecoutez, elle m'a surtout été dictée par la timidité. Je regrettais de ne pas pouvoir être plus proche des gens, mais je n'osais pas trop m'approcher. Et c'est vraiment ces images, qui ont beaucoup d'air autour, qui sont les plus touchantes, maintenant. Comme celle du cyclo-cross à Gentilly, par exemple. De toutes façons j'ai toujours été épaté par les images où tout a été parfaitement contrôlé par l'auteur, celles de mon ami Dubois sur Versailles, où rien n'est vraiment laissé au hasard, ou encore celles qu'on a pu voir dans l'exposition Brodovitch au Grand Palais, il y a là-dedans une rigueur formidable, c'est vraiment très bien foutu. Et puis en même temps le temps passe, cela vous étonne moins, on voit arriver d'autres choses encore plus ingénieuses et encore plus habiles, alors que certaines photos qui étaient mal ficelées au départ, un peu maladroites, où l'auteur avait laissé opérer le hasard, prennent en vieillissant une sorte de charme, je ne peux pas trouver d'autre mot. Un charme qui est entré à son insu, parce que l'auteur avait simplement une bienveillance amusée, se laissait guider par elle.

- *Il y en a parmi les vôtres ?*

Ah oui, il y en a, mais vous savez ça me donne un tel sentiment de mélancolie de regarder des photos que j'évite de le faire.

- *Vous ne regardez pas vos photos ?*

Les miennes, non, jamais, ça me fait la même impression que mon album de famille, j'ai vraiment le sentiment du temps qui a passé, avec cette vieillesse qui arrive comme par inadvertance, à mon insu, ce truc qui vous saisit brusquement, ça vous donne le vertige. La photo pour moi ç'a été ce moment de bonheur, on est dilaté devant ce qui vous entre par les yeux, on veut le conserver, c'est "Monsieur le bourreau encore un moment s'il vous plaît".

- *Un moment de bonheur pour qui ? Pour celui qui retrouvera la photo ?*

Pour celui à qui je voulais la faire partager. J'avais quelques amis, mon capital copains, Prévert, Cendrars, je cite ceux-là parce qu'ils sont connus, j'étais content en faisant une image de penser que j'allais la leur montrer.

- *Ce n'est pas pour soi qu'on fait des photos ?*

Non, sûrement pas, c'est pour les partager.

- *C'est pourtant une idée répandue, la publicité en a fait des slogans : "Revivez ce que vous venez de vivre". On ne revit pas ?*

Pas du tout. Je vais vous dire, moi je cherche un recéleur. J'ai fauché quelque chose et j'aimerais vite le refiler à quelqu'un. Voilà. C'est vrai qu'on prend quelque chose. Il y a très peu de temps que les gens savent qu'on leur prend quelque chose.

- *Tous les gens que vous photographiez ont un air de famille, Cendrars disait que seule la photo peut faire ça, pas l'écriture. Il y a sûrement une vocation familiale de la photo. Quand Steichen a fait sa grande exposition après la guerre, comme par hasard il l'a appelée "la Famille de l'homme". Vous êtes visiblement à l'aise dans cette dimension de la photo, au fond vous êtes un photographe de famille !*

Il y a quelque chose de vrai dans ce que vous dites : c'est tout le courrier que je me tape le dimanche matin. L'autre jour, du côté de Malakoff, devant un beau décor idiot de banlieue, il y a un petit père qui passe, je loupe la photo. Alors je vais le voir, je lui demande de repasser, l'autre se demande s'il n'y a pas un piège, une caméra invisible, si c'est pas un truc pour vendre des photos, je le rassure et je lui propose de lui donner la photo, de la déposer dans un bistrot. Ça a marché, et quelques jours après le gars m'écrit pour me dire que son beau-frère en voudrait une aussi... J'ai un courrier formidable comme ça. Il n'y a pas longtemps j'ai reçu d'Afrique une lettre d'un gars que je ne connais pas, j'aurais voulu vous la montrer mais je l'ai oubliée, c'est un noir qui m'appelle papa. Il me dit nous autres africains nous avons le tort d'acheter des appareils sans lire le mode d'emploi.

● *Pourquoi il vous écrit ?*

Parce qu'il veut un traité du flash. Il a vu dans "l'Express" un portrait de moi, avec d'autres photos, il l'a mis chez lui, et il m'écrit "Papa tu es dans un cadre et tous les soirs je viens devant toi, je suis ton fils". En réalité cette histoire de famille, ces photos qu'on a envie de donner, c'est peut-être simplement parce qu'on souhaite avoir une sorte de coterie autour de soi, une bande, comme les gosses qui se réunissaient autrefois sur les fortifs. On se fait des complices pour se sentir moins faible, c'est le besoin d'être protégé par des types qui disent "tiens, il est marrant ce type, allez viens prendre un verre avec nous". J'ai besoin de ça, je ne supporte pas l'hostilité. Par exemple il m'est arrivé de faire des reportages sociaux, vous arrivez dans une ville où il y a une grève, les mecs vous regardent de travers, ça vous fait mal, j'aime pas ça du tout, il faut que j'aille les voir et leur dire "croyez pas que je sois un flic, je viens pas repérer la tête des meneurs".

● *Quand vous n'êtes pas en reportage, mais qu'il s'agit de photos que personne ne vous a commandées, comment ça se passe ? Vous poussez votre porte le matin en vous disant comme Queneau que vous allez faire un petit poème ?*

C'est ça, ce matin je vais écrire "Les Misérables..." Vous savez, il y a des gens que je fréquente beaucoup, ce sont ceux qui font de l'art brut. Quand on parle avec eux on se rend compte que l'important c'est ce qui se passe la nuit. Ils reçoivent des ordres la nuit, c'est très souvent religieux, la Sainte Vierge leur dit lève-toi et marche, et fais un bonhomme. Pour moi, sans être aussi troublé qu'eux, c'est un peu pareil, j'accumule des trucs la nuit. Le matin je me lève et j'ai envie d'aller ramasser des choses. Il ne faut pas que j'aille loin, parce que la station debout empêche que ça continue à fonctionner longtemps. Donc ça marche deux ou trois heures après le sommeil, pas plus. C'est la continuation de ce qui s'est passé pendant la nuit. Et dans ces heures-là on est tellement émerveillé, innocent, que les gens ne vous repoussent pas, alors que lorsqu'on est soucieux et gris on a affaire à l'agressivité. Le matin je suis l'imbécile qui se promène dans les rues, le ravi des santons provençaux, tout va bien, je ne me rends même pas compte des endroits où je mets les pieds, quelquefois je me dis "ça va se gâter", mais non.

● *Quand vous partez comme ça vous n'avez pas de projet ?*

Ah non, c'est un état d'esprit, une manière d'être, plutôt que le projet de faire par exemple l'aqueduc d'Arcueil. C'est une disposition d'esprit qui fait que je suis amoureux de ce que je vois, ça dure pas longtemps.

● *Vous parlez toujours d'innocence et de hasard, pourtant il vous arrive de forcer un peu le hasard, vous faites de la préméditation. Je pense à cette photo dans le métro, avec un homme qui transporte l'arbre qu'il vient d'acheter. Cendrars dit que vous l'avez suivi pour le surprendre dans son jardin en train de planter son arbre, il dit même que vous avez escaladé un mur ?*

C'est pas vrai, c'est une histoire inventée par Cendrars, comme le fait de m'avoir fait naître à Chartres, parce que ça lui permettait un morceau de bravoure sur le Moyen-Age. Le côté petit reporter intrépide, c'est très joli, mais c'est pas vrai.

● *Pourtant en comparant les deux photos on voit bien que c'est le même homme.*

Oui, c'est le même, c'est pour ça que c'est louche. C'est simplement quelqu'un que je connaissais, je lui ai parlé, c'est tout. Vous savez, Cendrars en rajoute beaucoup. Dans l'ensemble ma vision de la banlieue est moins sombre que la sienne.

● *Il dit qu'il projette sur vos photos l'ombre portée de son texte. Et c'est vrai que cette ombre est noire. C'est frappant pour le commentaire qu'il fait de la photo des deux petits enfants qui viennent chercher du lait, il dit carrément "c'est de l'épouvante dans un décor d'ogre" !*

Mais là il n'a pas tort ! Il y a un côté petit Poucet, avec cette grande disproportion entre les enfants et le décor, cette maison qui va les avaler, l'autobus qui va les écraser, leur fragilité dans ce monde absurde. Je crois qu'une image est d'autant plus perceptible qu'elle représente une idée fabuleuse, au sens des fables de La Fontaine ou de la mythologie. Prévert sentait ça très bien, quand il voyait un égoutier avec sa lanterne, il disait c'est Aladin et sa lampe merveilleuse. Dans le cas des deux gosses devant la crèmerie, c'était bien sûr un peu facile, l'opposition entre le décor de banlieue et ces êtres tendres, mais au fond c'était un autoportrait, ça m'emmerdait d'être né là, de vivre dans ce décor, j'aurais préféré avoir été élevé dans un château, l'idée du petit prince me plaisait bien. Ça me pesait un peu, que le hasard m'ait fait naître dans un milieu qui n'était pas de "lumpen proletariat", non, mais de petite bourgeoisie. C'est l'esprit qui imprégnait le climat de la famille, son décor.

● *C'est le décor de la plupart de vos photos d'intérieurs, où l'on voit des gens chez eux, entourés de leurs objets familiers, c'est presque de l'anthropologie visuelle ?*

Oui, la photo est bien faite pour ça, aussi. En plus il y avait pour moi les relents de la formation reçue chez Vigneau. Puisqu'on avait trouvé le moyen d'inscrire des objets, des matières, avec beaucoup de précision, j'ai appliqué ça à des décors, qu'autrement il serait fatigant de décrire. Je sais bien qu'il y a eu "les Choses" de Pérec, c'est un tour de force qui m'épate, mais l'image d'une loge de concierge avec au mur tous les calendriers depuis la guerre de 14, c'est quand même pas mal. La photo est bien dans son rôle en inscrivant ces choses-là. Et là j'emploie une technique de photo ancienne, l'appareil le plus grand, 4 x 5 inch, une focale courte, je prends rendez-vous, j'ai déjà vu les lieux, je dis si vous le voulez bien je viendrai samedi matin faire une photo chez vous, les gens sont très énervés, ils rient beaucoup, je les arrête, ne bougez plus, et voilà. C'est complètement prémédité, et en même temps on n'intervient pas, sauf pour choisir un angle.

● *Les gens regardent droit dans l'objectif ?*

Oui, je sais que pendant un temps la photo devait donner l'illusion d'avoir été prise à l'insu du modèle, c'était peut-être ça la photo moderne. De cette façon on se privait du pouvoir émotionnel du regard, qui est un truc incontrôlable et qui me frappe toujours dans les photos anciennes. Ces gens qui vous envoient comme ça, en pleine poire, ce regard qui est le seul héritage qu'on laisse derrière soi, on ne sait pas comment, on le retrouve toujours d'une génération à l'autre, c'est le côté humide, la rivière dans le paysage. L'eau est une chose qui m'intéresse beaucoup, elle coule tout le temps, elle reflète et en même temps elle cache, c'est un miroir mystérieux derrière lequel il y a un truc qu'on ne voit pas, qu'on doit attraper au toucher.

● *Par rapport à ça, est-ce que ça a un sens de parler d'une photo moderne ?*

Je ne sais pas, je ne suis pas un bon juge, j'en suis resté à l'impression que j'avais en 1925. Je pense à une photo de Gruyaert, je crois, très bien foutue, composée uniquement avec des triangles, un personnage avec une djellaba et un coin d'ombre triangulaire, il y avait une recherche très graphique, c'est peut-être ça une photo moderne.

● *Vous associez moderne et graphique ?*

Peut-être, mais vous savez il faut faire attention, sinon c'est l'échafaudage qui devient plus visible que le monument, et c'est un peu ennuyeux, finalement. Dans le fond, le rectangle c'est souvent un mode de rangement. Quand on remplit bien un rectangle, on est content, on a fait un beau rangement, on a mis de l'ordre, on peut passer à autre chose. Mais c'est pas bien important, dans le fond. C'est pas ça qui va résister long-temps. En fait je ne sais pas bien répondre à cette question. Moderne ou pas j'en sais rien, je suis tel que je suis, je n'ai jamais cherché à me composer un personnage, et je refais les mêmes photos qu'il y a trente ans. Elles sont peut-être meilleu-res d'un point de vue technique, à cause du matériel, c'est tout. En tout cas je ne crois pas à la culture de l'accident, au flou, au grain. A tous les trucs pour faire croire que ça a été dangereux, ou difficile.

● *La photo de presse et vous, ça fait deux. Il n'y a jamais d'événement dans vos photos. J'aime beaucoup l'anecdote que raconte Prévert, du trou-peau que vous accompagniez au moment où un accident s'est produit, un camion a écrasé des moutons et des chiens, et vous, au lieu de prendre des photos, vous avez consolé le berger.*

Oui, ce n'était vraiment pas possible de faire autre chose, il y avait cette bouillie sanglante, ces brebis qui bougeaient en-core et qu'il fallait achever, je ne voulais pas montrer ça, c'est peut-être lâche, mais ça ne m'intéresse pas. J'ai remarqué que les jeunes photographes réagissent souvent à l'inverse, de peur sans doute d'être accusés de mièvrerie, parce qu'ils montreraient des choses aimables. Alors ils montrent le drame, des images cruelles, et les images les plus cruelles ce sont généralement les filles qui les font, par besoin de s'affirmer, comme les garçons qui veulent faire des photos de guerre. Je crois qu'il ne faut pas faire feu de tout bois, qu'il y a des domaines secrets dans lesquels il ne faut pas pénétrer. Sans compter que le sensationnel c'est souvent un aveu d'impuissance à voir. Comme l'exotisme : si on ne s'émeut que devant un palmier, c'est con, parce qu'il y a des jours où les platanes sont formidables. Contrairement à ce qu'on croit la presse ce n'est pas l'aventure, c'est presque toujours la mésaventure. Plus ça va mal, plus il y a de photographes, et là où il y a beaucoup de photographes on peut être sûr qu'on ne photographiera que des choses sans importance.

● *C'est ce que vous avez raconté à propos de l'arrivée à Paris de gens comme Kertesz et Brassaï, il n'y avait pas de place pour eux dans les pelotons de photographes de presse, alors ils sont allés voir ailleurs, et ailleurs c'était finalement plus intéressant.*

Oui, vous ne pouvez pas savoir ce que c'était que ce milieu de photographes de presse, c'étaient des gens qui possédaient la vérité, avec une assurance et un culot sans bavures. Physiquement, c'est un peu vache à dire, ils ressemblaient à des turfistes, avec des chapeaux mous, de grands imperméables, des moustaches à la Charlot, en bande ils étaient redoutables. C'était un milieu impénétrable, tu as pas fait de presse, alors tu peux pas faire de presse, c'était comme le cinéma aujourd'hui, celui qui n'a pas fait 4 films ne peut pas en faire un. Pour moi qui n'étais pas culotté, mais pas du tout, il n'était pas question de pénétrer dans un milieu pareil. Alors j'ai tout de suite été absorbé par Renault, là c'était un travail surtout technique, difficile d'ailleurs, c'est difficile d'éclairer une machine, et très fatiguant. C'était très dur. Je vais mourir avec plus de regrets que de remords, et parmi les regrets il y aura celui d'avoir dû gagner ma vie avec des boulots qui m'ont vraiment fatigué. Je me souviens d'un jour chez Rapho où je rentrais d'un reportage, j'étais chargé d'appareils, de lampes, de pieds, de sacoches, tout d'un coup j'ai senti que quelqu'un me prenait ma valise, c'était Cartier-Bresson, il m'a dit tu permets que je t'aide, je devais ressembler à une fourmi transportant un énorme fardeau. Je regrette un peut tout ça, parce que la fatigue physique vous bloque dans votre sensibilité. C'est bizarre, chaque fois que j'ai voulu mettre la tête hors de l'eau il y a eu une sorte de fatalité qui m'en a empêché. Quand je me suis fait virer de chez Renault, après cinq ans j'avais quelques indemnités, j'allais pouvoir travailler, ça a été la guerre. Cela dit le voyage ne m'a jamais beaucoup intéressé, je suis mal équipé pour ça, je ne parle aucune langue étrangère, il me faut beaucoup de temps pour comprendre et l'idée de me trouver devant le Pacifique ou le lac Baïkal a tout pour m'effaroucher.

● *Quand on vous a demandé, pour un livre, de faire un voyage professionnel, vous n'avez pas choisi la Vallée de la Mort, comme Jean-Louis Sieff, mais la vallée de la Loire...*

Et encore je n'ai pas pu bien la faire, car je ne pouvais pas être absent de chez moi plus de trois jours d'affilée ! Il y a toujours cette contrainte, cette espèce de démon malin qui ne m'a jamais quitté, et ça continue. Et en un sens ce n'était pas mauvais, notez bien, parce que la grande liberté, maintenant qu'il n'y a plus la contrainte, par exemple, du travail pour les magazines, eh bien ça donne des photos qui ne servent à rien, qui sont dans les galeries, qui sont de purs objets de spéculation. Il faut être de plus en plus singulier, on voit revenir toutes ces distorsions de la photo, ou alors c'est l'érotisme, qui fait vendre toutes les revues de photo, ça évite aux jeunes cadres qui prennent Air Inter d'acheter "Lui". Tout ça n'est pas bien intéressant. J'ai pas beaucoup d'idées sur la pédagogie de la photo mais j'ai pourtant l'intuition qu'elle pourrait avoir un rôle écologique du point de vue de la vision. Ce qui est caractéristique de notre époque c'est l'anesthésie de la vision, qui est encadrée, dirigée, conditionnée par les médias, la signalisation, la publicité. Il me semble que la photo pourrait devenir dans ce monde de discipline et de puissance des médias un moyen de retrouver des instincts simples, un peu comme le cheval ou la voile sont des moyens pour retrouver des sensations primitives enfouies.

● *La photo, pour ceux qui la font, pas pour ceux qui la regardent ?*

Pour ceux qui la font, bien sûr. Mais c'est détourné par les revues de photo, qui sont des choses mercantiles qui ne servent qu'à faire vendre du matériel. Alors que ce qui est bon dans la photo c'est cette grande liberté qu'on a de décider ce qu'on va donner à voir, comme c'est une liberté qui fout le vertige, les gens préfèrent se regrouper en chapelles, pour ou contre ceci ou cela. Depuis dix ans la grande affaire c'est d'avoir un filet noir autour des images, pour montrer l'infaillibilité du cadrage, c'est un peu con quand même, parce que si ça se justifie pour quelqu'un de très doué, que de pauvres choses ça produit la plupart du temps...

● *Photo ratée ou photo réussie : est-ce que vous pouvez en dire un peu plus là-dessus ?*

Si je savais ce qu'est une bonne photo, je la referais tout le temps, bien sûr. Non, plaisanterie mise à part, je vais vous répondre par un petit détour. J'ai peur des serpents. Je suis proche de la nature, je suis pêcheur, je ramasse volontiers dans l'eau des trucs qui dégoûteraient les gens, mais les serpents ça me fait peur. Et un ami m'a expliqué pourquoi : toutes les bêtes qui n'ont pas d'air en dessous, ça fait peur. Une foule, il y a pas d'air en dessous et ça fait peur. Dans mes images j'essaie toujours de trouver entre les gens un espace intérieur, c'est ce qui rend l'image lisible. En plus il y a l'organisation de l'image, je dirais un peu par boutade qu'il faut que ça ressemble à une lettre de l'alphabet. C'est vrai que c'est très lisible dès qu'il y a une composition en A, en V, en L, en O, on le sent inconsciemment, car on est dressé à ça depuis toujours. Et puis enfin il y a ce truc mystérieux qu'on a laissé entrer par hasard et que j'appelais tout à l'heure le charme. Cette espèce de parfum qui ressort longtemps après. Je regarde souvent non pas mes images mais celles des autres photographes ; celle de Kertesz, avec le mur, les affiches, qu'est-ce que c'est bien distribué, voilà une image qui vieillit bien, qui vieillira de mieux en mieux, elle a un charme qu'on ne peut analyser. C'est ça la bonne photo.

● *Bourdieu remarquait que la plupart des photos ne supposent pas un rapport social avec les gens, sauf les vôtres.*

Je suppose que c'est une façon différente d'approcher les gens. Je parlais tout à l'heure d'autoportrait, en fait j'essaie de retrouver mon adolescence un peu tristounette. L'autre jour, pour un film que fait Claude Gallot sur des photographes âgés, je suis le gamin de la bande à côté de Lartigue ou de Kertesz, on se trouvait dans une rue d'Arcueil, devant ce décor qui n'a pas beaucoup changé, et il ne se passait rien. Tout d'un coup arrive une moto avec un garçon et une fille, très beaux, la caméra les intéresse, je leur dis c'est le ciel qui vous envoie vous allez refaire ce passage pour nous. Pas question, ils ne voulaient surtout pas, c'est un couple qui visiblement ne voulait pas se montrer à l'écran. Alors ils veulent s'enfuir, mais la moto refuse de démarrer. Et on a eu cette scène, dans ce décor de banlieue un peu lépreux, parce que la Bièvre coule là-dessous et que les murs ont une qualité de moisissure imbattable, c'est plus beau qu'Utrillo, de cette fille qui poussait la moto, on les a vus disparaître sur 150 mètres, elle courant derrière avec sa mini-jupe en l'air, c'était formidable. Ça on ne peut pas l'acheter, c'est la proposition du hasard, elle est toujours au-delà de la proposition littéraire ou cinématographique qu'on aurait pu avoir.

● *Il n'y a jamais de mise en scène dans vos photos ?*

Bien sûr que si. Voilà par exemple une photo complètement montée, c'est celle du Pont des Arts. On était une bande dans un café de la rue de Seine, tous un peu ivres, il y avait une jeune fille avec nous, j'ai suggéré au copain qui était peintre et qui allait travailler sur le motif de peindre la jeune fille sur le Pont des Arts, mais de la peindre nue, pour voir comment les gens allaient réagir. Alors ça a donné l'image du type avec son fox-terrier. Ou encore, l'image des mariés dans un bistrot avec le bougnat, ce ne sont pas de vrais mariés, c'étaient des figurants des studios de Joinville. Je leur demande s'ils veulent bien que je fasse une photo, oui ils sont d'accord, et voilà qu'il s'amène un bougnat, bien sûr c'est un peu grossier, ce noir et ce blanc...

● *Ce n'est pas exactement une mise en scène, ce n'est pas vous qui avez dit au bougnat de se mettre là.*

Non, en plus il était très timide, vous savez un type tout noir qui vient à côté de toute cette blancheur, il est forcément un peu gêné, ça crée une tension.

● *Dans ce genre de situation vous ne pratiquez pas la caméra cachée ?*

Pas cette fois puisque je travaillais avec un flash au plafond, mais ça m'est arrivé. La vitrine avec le tableau de Romi, c'est fait comme ça. C'est l'affût. Les gens viennent d'eux-mêmes prendre leur place, j'ai dû en faire une vingtaine. D'autres fois c'est la poursuite, je me fais souvent prendre à contre-pied.

L'affût c'est une façon d'assurer le cadre, les images qui ne sont pas encadrées les gens ne les regardent pas. La discipline du cadre c'est vous qui devez la fixer, mais ça marche pas toujours. Prenez un très beau décor, par exemple vous êtes à Saint-Paul et vous avez une vue sur la rue Saint-Antoine, c'est un décor merveilleux, mais je n'ai jamais pu y faire une photo. J'y suis allé dix fois, il ne se passe jamais rien. J'attends.

Les gens viennent vous voir, c'est louche, un type en imperméable vous prend pour un collègue de la Préfecture, toi aussi t'es de la boîte, t'es en planque. Ce luxe d'être immobile dans une ville, ça vaut quand même mieux qu'un déplacement exotique. Du côté de la porte de Vanves il y a un décor fabuleux, ce sont ces grands papillons sur la façade des immeubles, celui-là non plus je n'ai jamais pu encore l'utiliser. J'y retourne demain matin parce qu'il y a le marché, peut-être qu'il va y avoir des gens qui vont passer devant ces papillons. Tout ce qu'on peut trouver d'habitude c'est un type qui se balade avec son chien, mais quand on reste planqué là pendant deux heures on se met à souhaiter que les choses deviennent un peu fiévreuses. Par exemple qu'il passe un berger landais, ce serait formidable, ou une colonie de jeunes anglaises, je ne sais pas. On espère.

1. Vers la poterne des peupliers, Paris 13ᵉ – 1934

2. Cyclo-cross à Gentilly – 1947.

3. Quai du port, rue Denfert Rochereau, St-Denis – 1945.

4. Boulevard Brune, Paris 14e – 1953.

5. Ménilmontant, Paris 20ᵉ – 1933.

6. Les glaneurs de charbon, canal de St-Denis – Aubervilliers 1945.

7. Aubervilliers – 1945.

8. Concours de chars fleuris, Choisy le Roi – 1934.

9. Depuis la rue Gabrielle, Paris 18ᵉ – 1961.

10. La stricte intimité, rue Marcelin Berthelot, Montrouge – 1945.

11. Concierge rue Jacob, Paris 6e – 1945.

12. Chez Madame Augustin, concierge, rue Vilin, Paris 20ᵉ – 1953.

13. Chez Madame Lucienne, concierge, rue de Ménilmontant, Paris 20ᵉ – 1953.

14. Monsieur et Madame Canuel, retraités, Bagneux – 1972.

15. Dispensaire pour les animaux, fondation du Duc de Windsor,
Paris – 1949.

16. Madame Raïda, cartomancienne, rue Vilin, Paris 20ᵉ – 1953.

17. Paul Léautaud à Fontenay aux Roses, Rue Guérard – 1953.

18. Livreur de sciure au comptoir du café Allain, rue de Seine,
Paris 6ᵉ – 1953.

19. Café à la tartine, porte de la Villette, Paris 19ᵉ – 1953.

20. Les enfants de la place Hébert – 1957.

21. Rue des Peupliers, Paris 13e – 1936.

22. Avenue de Clichy, Paris 17ᵉ – 1971.

23. Ecole, rue Buffon, Paris 5ᵉ – 1956.

24. Rue Marcelin Berthelot, Choisy le Roi – 1944.

25. Les frères, rue du Docteur Lecène, Paris 13ᵉ – 1934.

26. Café "Aux quatre Sergents de la Rochelle", rue Mouffetard, Paris 5ᵉ – 1950.

27. Rue du Faubourg St Antoine, Paris lle – 1953.

28. 14 Juillet 1949, rue des Canettes, Paris 6ᵉ.

29. (Baiser) place de l'Hôtel de Ville, Paris 4ᵉ – 1950.

30. Devant le palais de l'Elysée, Faubourg St Honoré, Paris 8ᵉ – 1946.

31. Boulevard de la Chapelle, Paris – 1953.

32. Rue Royale, Paris 8ᵉ – 1942.

33. Mademoiselle Anita – Dancing "La Boule Rouge", rue de Lappe, Paris 11ᵉ – 1951.

34. Les touristes du tour "Paris by Night" au "Petit Balcon",
Passage Thiéré, Paris 11ᵉ.

35. Mademoiselle Wanda, fête foraine du boulevard St Jacques,
Paris 14ᵉ – 1953.

35. Mademoiselle Wanda, fête foraine du boulevard St Jacques,
Paris 14[e] – 1953.

36. Fête foraine du Lion de Belfort, Paris – 1953.

37. Paris, foire du Trône – 1950.

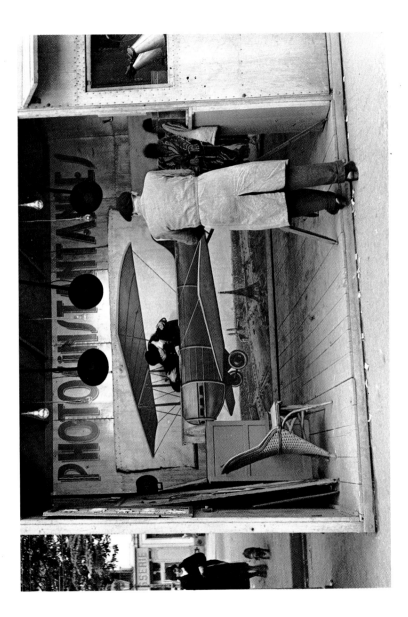

38. Paris, 14 Juillet – 1949.

39. Monsieur Secq au hammam, Paris – 1961.

40. Rencontre Al Cabrol – Pellacani, salle Wagram, Paris – 1953.

41. Monsieur Georges et Riton, rue Watt, Paris – 1953.

42. Monsieur Bayez, marquetteur, Faubourg St Antoine, Paris 12ᵉ – 1970.

43. Porte de l'enfer, boulevard de Clichy, Paris 9ᵉ – 1952.

44. Rue des Canettes, Paris, 14 Juillet – 1949.

45. Rue Mazarine, Paris – 1950.

46. Quai de Jemmapes, Paris 10ᵉ – 1966.

47. Le peintre Daniel Pipard, pont des Arts, Paris – 1953.

48. Terrasse de café, rue Boulard, Paris 14ᵉ – 1966.

49. Quai du Vert Galant, Paris – 1946.

50. Les spécialistes de la maison Gougeon installent
les statues de Maillol aux Tuileries, Paris – 1964.

51. Cour carrée du Louvre, Paris 1ᵉʳ – 1969.

52. Abri pour les statues des Tuileries, Paris – 1944.

53. Au pied du monument de Gambetta, place du Carroussel,
Paris 1er – 1933.

53. Au pied du monument de Gambetta, place du Carroussel,
Paris 1er – 1933.

54. Monsieur Nollan chez lui, rue des Saints Pères, Paris 6ᵉ – 1950.

55. Univers de Marcel Proust – Dans la maison de tante Léonie
à Illiers (Eure) – 1957.

56. Vernissage à la galerie Charpentier, Paris – 1949.

57. Salle d'attente du docteur Dalbanne, rue du Temple,
Paris 4ᵉ – 1953.

58. Tableau de Wagner dans la vitrine de la galerie Romi, rue de Seine, Paris 6e – 1948.

59. Café, avenue du Général Galliéni, Joinville le Pont – 1948.

60. Chez Gégène, quai de Polangis, Joinville le Pont – 1946.

61. Tradition poitevine, route de Poneuf à Saint Sauvant, Vienne – 1951.

BIOGRAPHIE

1912. 14 avril, naissance à Gentilly (Val-de-Marne).

1925 à 1929. 4 années d'études à l'école Estienne pour obtenir un diplôme de graveur-lithographe.

1930. Dessinateur de lettres et formation empirique de photographe "pharmaceutique" à l'Atelier Ullmann.

1931. Assistant d'André Vigneau.

1932. Vente de son premier reportage à "Excelsior" (le marché aux Puces). "Deux pages d'images photographiques qui donnaient à ce journal foncièrement bien-pensant un aspect futuriste."

1934 à 1939. Photographe industriel aux usines Renault à Boulogne-Billancourt.

1939. Licencié pour retards répétés. Rencontre Charles Rado, fondateur de l'Agence Rapho. Devient photographe-illustrateur indépendant. Première commande : un reportage de la descente de la Haute Dordogne en canoë, interrompu par la déclaration de la guerre.

1942. Rencontre Maximilien Vox. Illustre son premier livre "Les nouveaux destins de l'intelligence française," sur le monde scientifique.

1944. Rencontre Maurice Baquet.

1945. Entrée à l'Agence à forme pseudo-coopérative "Alliance Photo," y rencontre Cartier-Bresson, les Seeberger, Karkel, Boucher, Roubier, Jahan, Feher, Zuber, Roughol. Rencontre Pierre Betz et commence une série de reportages pour la revue "Le Point."

1946. Rencontre Raymond Grosset, retour à l'Agence Rapho. Rencontre Pierre Courtade, reportages pour l'hebdomadaire "Action."

Rencontre Blaise Cendrars à Aix-en-Provence. Voyage en Yougoslavie.

1947. Rencontre Jacques Prévert, Robert Giraud. Prix Kodak.

1949. Rencontre Michel de Brunhoff. Signe un contrat avec "Vogue." Travaille avec R. Giraud sur le thème "personnages de la nuit." Commence avec Maurice Baquet un projet de livre qui sera publié en 1981.

1949. Rencontre Albert Plécy. Commence une période de reportages d'illustration et photos publicitaires variées.

1956. Prix Niepce.

1957. Rencontre Peter Pollack.

1960. Voyage aux U.S.A. : Los Angeles, Hollywood.

1968. Reportage en U.R.S.S.

1971. Tour de France des Musées Régionaux avec Jacques Dubois et Roger Lecotté.

1973. Réalise avec François Porcile un court métrage intitulé "Le Paris de Robert Doisneau."

1975. Invité aux Rencontres d'Arles.

1979. Film "3jours, 3 photographies" de F. Moscowitz avec Jean-Loup Sieff et Bruno Barbey.

1981. Film "Poète et Piéton" de François Porcile.

1983. Grand Prix national de la photographie.

Robert Doisneau a publié ses photographies dans de nombreuses revues : "Caractères," "Fortune," "Life," "Match," "Picture Post," "Plaisir de France," "Point de Vue," "Réalités," "Regards," "La Vie Ouvrière."

BIBLIOGRAPHIE

1949. La banlieue de Paris
(130 photos), texte de Blaise Cendrars,
Editions Pierre Seghers, Paris.
Le Vin des rues,
Editions Pierre Seghers, Paris.

1952. Sortilège de Paris (13 photos),
texte de François Cali, Arthaud, Paris.

1954. Les Parisiens tels qu'ils sont
(56 photos), texte de Robert Giraud
et Michel Ragon, Delpire, Paris.

1955. Instantanés de Paris
(148 photos), préface d'Hélène Plécy,
Editions Claire-Fontaine, Lausanne.

1956. Gosses de Paris (53 photos),
texte d'Elsa Triolet, Editions du Cercle
d'art, Paris.

1962. Nicolas Schöffer (30 photos),
introduction de Jean Cassou, texte de
Guy Habasque et du Dr Jacques
Ménétrier, Editions du Griffon,
Neuchâtel.

1964. Marius le Forestier (81 photos),
texte de Dominique Halévy,
Fernand Nathan, Paris.

1965. Le Royaume d'argot (40 photos),
texte de Robert Giraud, Editions
Denoël, Paris.
Epouvantables épouvantails
(25 photos), textes classiques choisis
par Jean-François Chabrun, Editions
Hors Mesure, Paris.

1966. Catherine la danseuse
(83 photos), texte de
Michèle Manceaux, Fernand Nathan,
Paris.
La Banlieue de Paris (24 photos),
réédition réduite, texte de Blaise
Cendrars, Editions Pierre Seghers,
Paris.
Métiers de tradition (60 photos),
préface Georges-Henri Rivière, texte

de Roger Lecotté, direction artistique
de Jacques Dubois, Edition
hors-commerce (Crédit Lyonnais).

1971. Témoins de la vie quotidienne
(286 photos), préface de
Maurice Genevois, texte de Roger
Lecotté, direction artistique de
Jacques Dubois, Edition
hors-commerce (Crédit Lyonnais).

1972. My Paris (86 photos),
texte de Maurice Chevalier, Editions
Mac Millan Co, New York.

**1974. Le Paris de Robert Doisneau et
Max-Pol Fouchet** (185 photos), texte
de Max-Pol Fouchet, Les Editeurs
français réunis, Paris.

1978. L'Enfant et la Colombe
(53 photos), texte de James Sage,
Editions du Chêne.
La Loire (42 photos), Editions Denoël,
Paris.

1979. Trois secondes d'éternité
(143 photos), Contrejour, Paris.
Le Mal de Paris (47 photos), texte de
Clément Lepidis, Arthaud, Paris.

**1981. Ballade pour Violoncelle et
Chambre Noire** (67 photos), avec
Maurice Baquet, Editions Herscher,
Paris.
Passages et Galeries du 19ᵉ siècle
(84 photos), texte de Bernard
Delvaille, Balland, Paris.

1982. Robert Doisneau, texte de
J.F. Chevrier, Belfond, Paris.

1983. Réédition, aux Editions Denoël,
Paris, de **La Banlieue de Paris** et
Le Vin des rues.

1986. Un certain Robert Doisneau,
texte de Robert Doisneau, Editions
du Chêne, Paris.

EXPOSITIONS

1947. Participe à une exposition de groupe à la Bibliothèque Nationale, Paris.

1951. La Fontaine des Quatre-Saisons, Paris : "Le Monde des Spectacles." Musée d'Art Moderne de New York, avec Brassaï, Willy Ronis, Izis.

1960. Musée d'Art Moderne de Chicago.

1965. Musée Réattu, Arles :
"Trois photographes français," avec André Vigneau et Henri Cartier-Bresson.
Musée des Arts Décoratifs, Paris : "Six photographes et Paris." avec Daniel Frasnay, Jean Lattès, Jeanine Niepce, Roger Pic, Willy Ronis.

1968. Bibliothèque Nationale, Paris.
Musée Cantini, Marseille :
"L'œil objectif" avec Denis Brihat, Lucien Clergue et Jean-Pierre Sudre.

1972. George Eastman House, Rochester, U.S.A.
Ambassade de France, Moscou, avec Edouard Boubat, Brassaï, Henri Cartier-Bresson, Izis et Ronis.

1974. University of California, Devis, U.S.A.
Galerie municipale du Château d'Eau, Toulouse.
La Vieille Charité, Marseille.

1975. Photogalerie, Paris.
Witkin Gallery, New York.

Galerie et Fils, Bruxelles.
Musée des Arts Décoratifs, Nantes.

FNAC, Lyon.
Musée Réattu, Arles.
Bibliothèque historique de la Ville de Paris : "Le Mobilier Urbain."
Mairie de Boulogne-Billancourt : "Expressions de l'humour."

1976. Cracovie, avec Brassaï, Henri Cartier-Bresson, Jean-Philippe Charbonnier, Izis et Marc Riboud.
Photo Art, Basel.
Hôtel de Ville de Dieppe.

1977. Centre Georges Pompidou, Paris : "Six photographes en quête de banlieue," avec Guy Le Querrec, Carlos Freire, Claude Raimond-Dityvon, Bernard Descamps et Jean Lattès.

1978. Galerie Agathe Gaillard, Paris : "Ne bougeons plus."
Witkin Gallery, New York.
Musée Nicéphore Niepce, Chalon-sur-Saône.

1979. Musée d'Art Moderne de la Ville de Paris : "Les passants qui passent." Musée Eugène Boudin, Honfleur.

1980. Amsterdam : "Trois secondes d'éternité."

1981. Witkin Gallery, New York.

1982. Fondation Nationale de la Photographie, Lyon, et Services Culturels de l'Ambassade de France à New York : "Portraits."

1986. "Un certain Robert Doisneau," Crédit Foncier de France, Paris.
"Portraits d'écrivains," Maison de Balzac, Paris.

CREDITS PHOTOGRAPHIQUES

Robert Doisneau, Agence Rapho.

Cet ouvrage, le cinquième de la collection Photo Poche
dirigée par Robert Delpire, a été réalisé avec la collaboration de Françoise Sadoux
Le secrétariat de rédaction a été assuré par Michel Frizot

Quatrième édition

Achevé d'imprimer le 12 avril 1988
sur les presses de l'Imprimerie Mahé.